나는 입버릇처럼
가게 문을 닫고 열어요

시인의일요일시집 **010**

나는 입버릇처럼 가게 문을 닫고 열어요

1판 1쇄 찍음 2022년 10월 20일
1판 1쇄 펴냄 2022년 10월 27일

지 은 이 박송이
펴 낸 이 김경희
펴 낸 곳 시인의일요일

표지·본문디자인 노블애드
경영지원 양정열

출판등록 제2021-000085호
주 소 경기도 용인시 기흥구 연원로42번길 2
전 화 031-890-2004
팩 스 031-890-2005
전자우편 sundaypoet@naver.com
블 로 그 https://blog.naver.com/sundaypoet

ISBN 979-11-92732-00-8 (03810)

값 10,000원

* 이 도서는 한국문화예술위원회의 2022년도 아르코문학창작기금 지원사업에 선정되어 발간된 작품입니다.

나는 입버릇처럼 가게 문을 닫고 열어요

박송이 시집

| 시인의 말 |

맨발을 감싸는
저 하얀 눈발들, 저 거룩한
아무것도 부수려 애쓰지 않는

양말의 일생

— 졸시, 「양말」 중에서

세상의 모든 양말들에게
이 시집을 마땅히 바칩니다.

차 례

1부

2부

3부

4부

부록

1부

나는 입버릇처럼 가게 문을 닫고 열어요

회전 행거에 오색 양말을 진열해 놓았어요
오세요 오지 않은 발들을 기다리는 일
이게 양말 가게 직원의 하루니까요

메트로놈 45BPM을 켜 본 적 있으세요
느리고 고요한 박자가 이토록 우습고
쓸쓸해 보일 수 있다니

나도 모르게 고개를 까딱거리고 있어요
온종일 양말들 곁에서 말이죠

누군가 한 켤레 혹은 열 켤레를 사 가기도 하고
천 원짜리 지폐들이 내 손에 쥐어지기도 해요

관객 없이 무대에 선 저 버스킹맨은 이해할지 몰라요
동전과 시절을 맞바꾸는 기분을요

성게를 만져 본 적은 없지만

따끔한 맨발이라는 건 알 것만 같은 것처럼요

그래선지 저 산 능선이 꼭 홍어 무침을 삼키는 것만 같아요
모든 게 기분 문제겠지만요

라면물이 끓고 있어요
이제 저 버스킹맨은 어디로 가는 걸까요

발꿈치를 사포로 문지른 잿빛 구름들이
딸 깍 딸 깍 잘도 흘러만 가는데요

나의 시는 나의 육체를 지배하지 못하고

나의 시는 나의 육체를 지배하지 못하고
나의 시는 나의 영혼을 가지어 본 적이 없고
나는 멀리 떠나는 자의 딱딱한 신발을 닮았고
나는 어깨를 위해 울어 본 적이 없음을 후회하고
나의 식사는 언제나 불평과 망각 사이에서 허술했고
그 빈약함으로 나의 늙은 시는 나를 쉽게 잊어버렸고
낮과 밤이 둥글어 가는 톱날 바퀴의 시작점은 얼마나 무의미한지

혀 말고 다른 단어가 있나
혓바닥 말고 다른 고집이 있나

종다리야 종아리야
나는 너의 지탱을 배우고 있나

소심한 책방

짧아지는 연필을 사랑해야겠다는 생각
딱딱한 솔방울을 궁굴리며 궁굴리며
용기의 얼굴을 내밀고 가야겠다는 생각
손바닥 같은 숲속 작은 사람들 곁에서
우산을 펼쳐야겠다는 생각
신앙을 가져야겠다는 생각
첫 시집을 내고 예술가라기보다는
생활인에 가까워졌다는 생각
시집을 팔아야겠다는 생각
깨진 보도블록 탓하지 않으면서
까인 무릎을 껴안아 줘야겠다는 생각
저마다 바다를 띄우고
그마다 닻을 품고
이마다 파도를 버틴다는 생각
쓰러진 볏잎들을 묶어 줘야겠다는 생각
도탑게 도탑게 골목을 돌 때마다
툭툭 솔방울이 떨어지고
작은 시집을 파는 책방이 문을 연다

똑똑 문을 열면 낱말들이 몰려와
슬픔이 무사하다는 생각

비명

한 시인이 죽었다
시인에게는 이름이 있었지만
아무도 그 이름을 섣불리 부르지는 못했다
다만 그 이름은 기사가 되었고 이슈가 되었다
하루 동안 검색 순위에 올랐다가 순위에서 사라졌다

한 시인이 죽었다
시인에게는 시집이 있었지만
아무도 그의 시를 낭독하지는 않았다
다만 시집은 판매 순위에 다시 올랐고 팔려 나갔다
들판을 달려 사람들 집으로 시집이 배달되었고
사람들은 가장 먼저 시인의 말을 펼쳤다

오전에서 오후라는 말이 아무렇지 않게 흘러가고 있었다
어느 집에선가 아이를 마구 때리는 소리가 들렸다
창을 닫으면 해가 떨어졌고 까마귀가 날아올랐다
날아오른 까마귀는 금세 사람들 눈에서 사라졌고
사라진 까마귀는 또 어느 샌가 사람들

곁에서 주억거리고 있었다

한 시인이 죽었다
시인에게서도 시집 그 어디에서도
손은 비명의 언어만 받아 적고 있을 뿐
위로받을 수 있는 손의 언어와
위로할 수 있는 손의 언어는
너무 짧거나 애매하거나
아예 없었다

바람에 기대어 우는 바람이 차가웠다
사람들이 집으로 걸어가고 있었다
이따금 비명이 들려왔다
입이 없는 하루살이들처럼 시들었다가
아침이 오면 까무러치며 애통할
일이 발견될 것이었다

점박이 느와르

옆집 이층 옥상에 점박이가 살고 있었습니다 그 집주인은 저 개새끼 밥만 처먹는 똥개새끼 조용히 안 해? 점박이에게 악다구니를 퍼붓고도 성이 차질 않으면 양푼을 걷어차든가 화가 덜 풀리면 빨랫줄에 삿대질을 찔러 대고는 집 안으로 들어가는 거였습니다 나는 창문 너머 수시로 상영되는 이 독립영화를 무료로 관람하곤 했습니다 어느 날엔가 점박이가 양푼에 코를 박다 말고 커어컥 구역질하는 장면이 연출되기도 했는데 창문 안으로 밀어 들치는 그의 배역에 이문재 식으로 말하자면 그럴 *때는 살아 있다는 게 그저 미안할 따름*이었습니다

메롱나무

그때는 일몰 중이었고 나는 중학생이었다 그날 새끼고양이는 엄마 발에 목을 밟혔다 발이었다 누군가의 목을 밟는, 누구나 그런 실수를 저지른다 실수라는 단어가 주는 너그러움 새끼고양이는 저녁상을 준비하는 엄마 곁을 기웃대다 변을 당했다 투게더 아이스크림을 삼킨 혓바닥을 방바닥에 게워 내고 있었다 미역줄기도 어묵도 동공도 모다 흐물거리는 저녁, 새끼고양이는 죽었다 나는 새끼고양이를 물방울 원피스로 돌돌 감아 뒷마당에 묻어 두었다 누군가의 죽음을 받아 내, 묻어 두어야 할 그런 날이 온다 엄마가 죽고 한참이 지난 후였다 고향집 뒷마당에 엄마 원피스를 차려입은 새끼고양이가 메롱메롱 피어 있었다

밤까시

대학 시절 배추의 꿈이라는 시를 쓰고 문학상을 받은 적이 있더랬죠 아버지는 똘충아, 니가 배추에 대해 아는 게 뭐냐 니가 씨를 뿌려 봤냐 논밭에 나가 물을 줘 봤냐 했습니다 그랬습니다 나는 배추에 대해 아는 게 없었습니다 배추를 알아야 시를 쓰나

아버지는 항상 밖에 있었습니다 까시 같았습니다 아직 때가 안 됐다고 아버지는 안 된다고만 했습니다 오종종 까시들이 박힌 채로 따가웠습니다 계절을 까면 까도 까도 가을이었던,

아버지, 밖에서 뭐 하세요
안에서 너는 뭐 하는 게냐
저는 맛있게 익어 가는 중이에요
절로 네가 익어 가는 줄 아는 게냐
아버지의 한 시절일 뿐인 걸요
너는 어디로 떠날 작정이냐
밖이라면 어디로든 좋아요
절로 네가 살아갈 줄 아는 게냐
아버지, 온몸이 가려워 미치겠어요

밤송이가 쫘악 열리고 밤알들이 떼굴떼굴 굴러다녔습니다 그랬습니다 나는 까시에 대해 아는 게 없었습니다 까시를 알아야 시를 쓰나

아버지, 빈방인데 괜찮으세요
절로 내가 남겨질 줄 몰랐던 게냐
에잇, 그만 쪼그라지세요

팃검불

그동안 하루도 안 빼먹고 행복하였니?
부모가 자식을 위해 할 수 있는 최선은 일찍 죽어 주는 것이다
라고 사르트르는 저 잔인하고 명랑한 문장을 남기고 죽었지
국수 면발을 씹는 동안
누가 시키지 않았어도 겨울이 와 주었다
지 양껏 내려 줬으니 얼마간은 후련할 테지
소주와 우유를 반반 섞어 마시고 모로 누워 자고 싶다마는
니가 사 준 감물빛 머플러를 매고
1월 15일엔 꼭 퇴원해야 하는데 올 수 있으려나? 막막하고……
말도 안 통하고 시끄럽고 어수선한 이곳에서 이대론 살 수 없어서 대학노트에 잠언을 필사해 본다
그렇다. 모든 건 잠시뿐
살아 보니 세상 별거 아니고 심리검사 결과 IQ가 114로 나왔는데 어떻게 생각하니?
죽으면 체온이 없어서 겨울에 더 추울런지
—코웃음 친 인생
너에게만은 최선을 다하고 싶다

소주와 우유를 반반 섞어 그의 유골함에 흩뿌리고는 편지 뭉치를 모조리 태웠다 감물빛 머플러를 매고 그가 후루룩 생을 삼켜 버렸기에 그가 더 추운 나라를 찾아 떠나가 버렸기에 그렇다. 세상 별거 아닌 텟검불이 최선을 다해 타오르는 동안 나란 자식의 대 줄 뺨이라도 있어 참 다행이었다 지 양껏 후려쳤으니 얼마간은 후련할 테지

필사

간혹 낙엽 한 장이 끼어 있는 페이지를 만날 때가 있습니다 그러니까 나뭇잎을 꽂아 넣었던 기억도 안 나는 그날의 심정과 잎사귀를 매만지는 지금의 심정이 약속도 안 하고 만나는 날이 있습니다 어느 구절에는 밑줄이 그어져 있고 또 어느 구절에는 별 표시가 그려져 있습니다 우리는 다만 한 자루 연필을 쥔 채 살아가는 필생일까 그저 맨발이 되어 무거운 배낭을 꾸리지 않고도 떠나가는 사람들이 있습니다 지금이 아니라면 두 번 다시는 못 볼 것만 같은 사람들이 있습니다 허수경의 시집을 꺼내 혼자 가는 먼 집을 서걱서걱 씁니다 우리는 우연한 날 약속도 안 하고 만날 테지만 하얀 새, 도저히 베낄 수 없는 슬픔이 있습니다

쯧쯧의 기원

중3인데 고입도 치러야고 친구들은 전주로 유학을 간다는데 별이 빛나는 밤에 열여섯 사연을 적고 나는 책상 밑에 기어 들어가 게보린을 으큐으큐 씹은 것인데 갓난아기는 왜 오월에 태어났나 부엌에선 소주잔 깨지는 소리 아빠 난 더 이상 당신 딸이 아녜요 수업료 필요 없어요 왜 날 거뒀나요 빌어먹을, 발정 난 개들 붙어먹는 단발머리 여중생 면사무소에서 엄마 호적 떼다 아빠 둘 보았지 동거녀 딸이 오백 원 거스름 동전처럼 달랑거렸어 엄마 호적엔 남편이 둘이라 좋겠고 나는 아빠가 둘이라 좋았지 나는 알전구처럼 헤프게 웃으면서 호적을 그깃그깃 호주머니에 구겨 넣고 닭똥공장엘 갔네 오, 내 피에 흐르는 엄만 달걀을 줍네 닭똥공장엔 닭똥이 폐수로 썩는데 폐수는 놀고 싶은데 닭똥아, 너도 숨 쉬니 나도 숨 좀 쉬자 닭똥이 격렬히 떨고, 난 양계장에 처박힌 네 사연 궁금한 것인데 넌 니 애비한티 잘해야 혀 쯧쯧 대던 돼지막 할아버지 나만 보면 혀를 쯧쯧 찼던지 호적을 지게차로 긁어내 DJ에게나 시집가고 싶었던 닭똥물에 할아버지 혀에 달라붙은 ㅉㅉ과 ㅅㅅ을 살처분하고 싶었던, 닭발머리 여중생 쯧쯧 쯧쯧

2부

겨울 이사

송아지가 죽은 날 남편은 축사 뒷산에 올라 땅을 팠습니다 한 줌씩 구덩이가 열렸습니다 긴 혓바닥으로 새끼를 닦고 닦은 어미소를 뒤로하고 볏짚에 싸인 입과 귀와 몸뚱이를 천천히 구덩이에 묻어 주었습니다 밤나무 감나무 쑥부쟁이 복숭아나무 미나리 씀바귀 들깨풀 냉이꽃 개미들 곁으로 송아지가 이사를 갔습니다

청소

방바닥을 닦다 진종일 바깥이 되어요
하교하는 아이들 사이로
실내화 가방이 푸덕거리고
낮잠이 깨어나고
통돌이에 물물물 물이 채워지고
자전거가 굴러가고
까치는 날았다 앉았다
또다시 사라지고
베란다 창으로 빛이 밀려오고
나는 이 방바닥에서 한 발자국씩
나아가고 있다는 생각
스투키에 빛이 쌓이고
불현듯 걷고 싶고
이 먼지들에게
짧은 밤을 대접하고

살구들

오늘은 눈물이 열리고 자갈밭이 열릴 거야
내일은 눈물이 그치고 자갈밭이 달릴 거야

아파트 이층까지 살구나무 줄기가 웃자라 오르는 동안
다섯 살 딸아이가 콩나물국에 밥 말아 마시듯
후루룩 들이켜 마신 말들

오늘은 눈물이 열리고 자갈밭이 열릴 거야
내일은 눈물이 그치고 자갈밭이 달릴 거야

아침마다 창을 여는 이유

육아살이

한 끼를 먹는다
뼈들이 움직인다
몸 안에 자질구레한 함정을 논하지 마
아이를 낳았으면 싱싱한 걸 상상해
벌떡벌떡 일어나 제대로 키워
어떤 인간은 시를 쓰지만
어떤 아이는 시보다 나아
안 그래?
침묵은 공평하지 않아
해독할 수 없는 시처럼
폼 나게 떠들어 대
과연,
폭죽이 터지는 시
그런 건 없어
발버둥과 옹졸함
벌떡과 불끈을
마구 써 봐
허락받지 않고 부치는 편지

누구조차 해독을 비켜 간
침을 흡수한
편지지의 우표
이런 종이의 공평함
그러니까
일 이 삼 사를 세는 아이들 곁에서
일생을 챙겨 먹어

플립 시계

팔에서 딸깍 구로 숫자가 넘어가고
다섯 살배기는 플립이 신기하고
시계는 믿을 수 있고
시계가 아닌 건 셀 수가 없고
엄마 시계가 신기해요
계속 쳐다보게 돼요
왜 또 안 변해요
계속 쳐다보고 있으면 숫자가 바뀔 거야
엄마 숫자가 십으로 바뀌었어요
그래 일 분이 지나간 거야
또 바뀔 거야

육아가계부

빈 새벽을 펼쳐 놓고
육아가계부를 적습니다
레고는 레고통에 정리하고
책은 책꽂이에 꽂아야지
어린 딸에게 악 지르고
흑염소 즙을 마십니다
내다 버린 레고와
동화책을 주워 오고
수건을 빨고
수건을 접고
옷걸이에서
헛발만 디디다가
흑염소는 점점
빈 새벽을 쌓습니다

그물녘

나무와 나무 사이 들여다보세요
구르는 자전거에서 내리세요
동전을 잃어버린 마음으로
두리번거리세요

노을 커튼 걸려 있는 집
바람 노래 출렁이는 집
허공 베개 베고 잠드는 집

나무와 나무 사이 들여다보세요
거미가 나방을 아껴 먹고 있어요
뜀박질을 멈추었나요

그물녘이니
한번 물어보는 거예요
우리도 언젠가 저 그물에 걸려들 거잖아요

수리남 두꺼비

나뭇잎도 가오리도 아니면서 바짝 엎드린 보폭으로 나는 것도 기는 것도 아니면서 살아간다는 것에 대해 진지할 것도 무심할 것도 없지만 동글동글 알들이 기거하는 등짝에서 알들이 탱탱해지는 동안 등짝이 파헤쳐지는 수리남 두꺼비를 보면서 등짝은 등짝일 뿐이라고?

맞아 그뿐, 너덜거리는 등짝에서 새끼들을 발사포로 쏠 시간 뒷다리 짚어 앞다리 짚어 한꺼번에 수백 개 올챙이들이 튕튕튕 탄생할 때 감탄과 기괴함이 등짝에서 벌어지고 있을 때 맞다,

후려치고 팔딱거리던 태아가 내 자궁을 살다 간 적 있다 십 센티 자궁문 열리고 빛을 마주하기 시작한 태아 새까만 정수리와 손바닥 맞댄 후후후후후흡 호흡법과 머리통과 어깨와 팔과 몸통과 다리와 줄줄이 후루룩 쏟아지는 태반과 마취도 안 하고 꿰맸던 회음부 이 모든 광경이 생으로 저질러지기만 했던 그날, 단 한 줄의 묘사도 없이
나는 까무러치기만 했지

나무항구 1

나에게 싱싱한 난자가 있다고 상상하면
빈 바다가 열릴 것 같다

뿌리 없는 항구에 배를 띄우면
나이테가 마구 자랄 것 같다

건널 곳이 많아 바다에 간다
수시로 인간이라는 충동을 느낀다

나무항구 2

나무젓가락에 감긴 세발낙지의 온 생을
씹을 때 나는 보다 쾌활해진 느낌이다

탈 없이 넘어가는 태양 등마루에 서서
내 굽은 짐승의 척추뼈를 곧추세워 본다

심장이 하나일 때보다 가령 심장이 세 개일 때
한 번 더 살아 낼 기회가 주어졌을 때 나는

나무항구 3

잘 삶아진 옥수수를 입에 물고
죽림 분기점을 지나고 있을 때였다
나는 그것을 직감했다

무언가 들이닥쳤을 때 그것이 나의 의도와
상관없이 쳤거나 비켜 섰거나 했을 때
어느 쪽으로든
죄책감에 무방비하다는 걸 말이다

그러다 보니 나는 옥수수 알맹이 같은
이 한 줄 따위로도 이 썩을……
동정하는 편 쪽에 설 수 있다

고라니야, 고속도로엔 건널목이 없단다

별명이라는 고향 1

송이버섯이니 독버섯이니
너희가 지어 준 별명 이마저도
잃어버리면 버섯은 무슨 죄로
고향 가는 길마저 잃어버릴 것 같다

너희와의 골탕 짓이 그리운 줄도 모르고
별명을 까먹고 살았구나
순 거지 같던 촌놈들 그 이름을
실핀으로 냇가에 새겨본다
조복순, 김종득, 이순덕, 이우봉……
이 깡촌의 아이들은 어디로 흘러갔을까

운동장 그네 밑 동전들은 아직 거기 묻혀 있을까
미루나무 한 그루쯤은 아직 그 자리에 서 있을까
오늘만큼은 긍휼히 느타리버섯을 구워 먹고 싶다

별명이라는 고향 2

닭장 문을 열어 놓고
맨발로 냇가를 걸었다

떠 있는 물고기들 보느라
피 터진 줄 모르는 발바닥

깨진 유리병에 베인 저녁 빛이
흘러나오고 있었다

번지는 깡촌의 어스름이
무서워 헌금으로 사 온

시장통 병아리와
부리를 부르르 씻노라면

종성이는 그런 날 보고
송사리라 불렀다

송사리는 얼마나
가벼운 생물인가

3부

끼니

환한 저녁때였다
눈 속에서 눈을 맞고 있었다
펑펑 내리는 눈은 아니었고
사그락사그락 내리는 눈이었다
눈이 쌀밥 같다는 생각을 떨칠 수 없었다
시밥 시밥 시밥
혼잣말로 시밥이란 단어를 되뇌고 있었다
한 끼니가 눈이 부시게
거리를 데워 주고 있었다
이게 다 밥이야 시야
한 알 한 알 잘 익은 밥알들이
모락모락 거리의 사람들이
눈발을 쐬고 있었다
배가 고파 왔고
시가 고파 왔으므로
이마저 한 끼니의 꿈이었다

생각하는 모자

동물들이 걷지 못하는 날이 오면
잘 걷는 로봇을 발명하면 돼
영원히 걸을 테니까

전쟁이 끝나는 날이 오면
텔레비전은 지루해 미칠지 몰라
흥분이 사라졌으니까

해와 달이 보이지 않으면
신은 걱정하기 시작할 거야
세계가 붕괴할지 모르니까

매일매일 나쁜 날씨가 오면
큰 병원이 필요할 거야
정신을 뉘여야 하니까

우리가 시 한 편씩 읊는 날이 오면
평화가 찾아올까

무기로는 영 쓸모없는
시낭독회

도서관 식당

실실 웃고 있었다
이 속에서 웃는 건
너뿐이었다

하얗고 파란 둥근 알약들
찢긴 약봉투
숫자는 검은색
종이는 하얀색

식당 바닥에서 가락국수가
둥둥 불고 있었다

호스 따라 뚝뚝 흐르는
잠그다 만 수도꼭지

실실 웃고 있었다
이 속에서 웃는 건
너뿐이었다

인공수정

오징어배가 등불을 양각할 때
접촉 불량 알전구들은 어디로 가는 걸까
목포 앞바다에 알알이 달이 떠올랐다
바다를 세워 두고 끊긴 필라멘트처럼 무릎을 꿇었다
아기집과 심장 소리가 빈 초음파
구렁텅이를 허락한 신을 용서할 수 있을까

개미

↓ 아래 소화기가 놓여 있고
평생 단 한번도 사용 안 할지 모른다
아니 모른다
나를 끄기 위해
나를 꺼뜨리기 위해
무어든 집어 들 준비는 되어 있지

화살표가 그려진 대로
쫓아가는 삶이라면
그러다 화살표가 되어 버리면
어쩌나 하는
공포
공포보다 더한 화살표 없음
절레절레
가로수
저들은 참 좋겠다

흔들어 주는 대로 흔들리는 생이니까

도로의 바깥이니까
위로 뻗어도 한계니까
잘리니까

이토록 쉼표가 과잉인 까닭은
확신이 없다기보다는
확신 없음을 감추기 위해서라기보다는
개미떼야
말끝마다,
숨, 좀, 쉬, 자,

↓ 아래 무덤이 놓여 있고
평생 단 한번 사용할 날이 올 것이다
아니 확신한다
나를 묻기 위해
나를 꺼뜨리기 위해
무어든 파먹을 준비는 되어 있지

드로잉

한 손에 연필을 들고
한 손에 거울을 들고
도화지는 보지 않고
거울 속을 드로잉 한다
귓바퀴와 주름을 늘리고
어눌하거나 모자라거나 남거나
연필이 지나가는 대로
다 그려 내고 나면
그려 낸
실수의 표정만 남아
이런 어리굴 어리굴젓
소시지, 스팸과 계란프라이 없은
뜨거운 쌀밥
9,900원

닭닭닭

닭닭닭닭닭닭닭닭닭닭닭닭
닭닭닭닭닭닭닭닭닭닭닭닭
닭닭닭닭닭닭닭닭닭닭닭닭
닭닭닭닭닭닭닭닭닭닭닭닭

닭닭닭닭닭닭닭닭닭닭닭닭
닭닭닭닭닭닭닭닭닭닭닭닭
닭닭닭닭닭닭닭닭닭닭닭닭
닭닭닭닭닭닭닭닭닭닭닭닭

봄이 왔다 닭들이 감기에 걸렸다 아버지는 이만 오천 마리 닭들을 뒷산에 묻었다 양계장에 들어서면 왼쪽 1연 4행 오른쪽 1연 4행 총 2연 8행 텅 빈 닭장들이 폐허처럼 줄지어 섰다 우리은행 사원들과 고객들은 삼계탕데이를 실시했다 파산의 돌림병이 돌았고 아버지의 대출금은 만기로 연장됐다 전날 땅을 팠던 국군 장병 하나가 폐결핵을 앓았다 닭장마다 매달린 수도꼭지에선 아직 지하수가 닭닭닭 새어 나왔다

오래 핀 것들

오래 핀 것들은 축제가 없네
오늘은 쑥향이 맹맹하고
오늘은 개나리를 노래해
봄길, 봄이래도 꽃이래도 달갑지 않네
나는 차라리 벚꽃처럼 꽃살라 찍히고 싶네
오래 방랑해서
오래 상실해서
노란 목덜미가 꽃병에 꽂히고
베인 봄이 가고 또 오고 와도
나리나리개나리
이것도 사랑이랄까
하, 오늘은 쑥향이 맹맹하고
오래 핀 것들
오래 앓는 법에
골몰하네

수혈

몸에서 흘러나오는 피를 사랑해요
마른 가지에 틔우는 새순,
편지라 부를까요

신이 허락하는 한 우린 저 하얀 백합들이고
둥글게 도는 나이테들이고

오늘만큼은 뭇별이 떨어질 것만 같아요
이제 막 떨어지기 시작하는
낙엽이 그러하듯
저 가녀린 백합은 향기롭고

피가 도는 사람들 곁에서
피를 나누고 있어요

닭숲

매일 해가 지고요
매일 해가 뜨지요
닭 세 마리가 한 조로 갇힌 신식 철창 사육장입니다
영양 사료가 여덟 개 라인에 배식됩니다
숲속엔 죄다 걷지 못하는 나무들
야윈 발목에선 소독약 냄새가 진동합니다
오늘이 지나면 오늘이듯
삼파장 전구에 불을 켭니다
이만 오천 마리 부리들이 한꺼번에 쏟아집니다
부르다 만 노래를 이어 부를까
암탉이 무정무정 신음합니다
숲이 산란하는 시간입니다

가족사진

한 가족이 공원 길가에 있다
물결 타듯 떨어지는 나뭇잎
소녀의 발등을 덮어 주고 있다
해진 코트를 걸친 사내
여자의 가녀린 어깨를 감싸고
오래전 바랜 물방울무늬 원피스
바람에 부풀어 오른다
소녀는 솜사탕을 베어 물고
환하게 웃고 있다
물빛처럼 반짝이는 입술
허공으로 날아오르는 새가
깃털을 버리며 날아가는 새가
아래를 내려다보고 있다
어디에도 머물 곳 없이
텅 빈 눈 속
눈부신 햇살 초점이
움직임을 정지시키자
빛 향해 마주 선
그들의 눈빛이 서로 닮아 있다

이명

그 흔한 처방전 없이도
우리는 휘발되지 않을 방식으로
우리의 예상과 다르게 끝없이
눈을 뜬 채 샤워를 합니다

그러니까 이것은,
봉지를 열면
초코파이는 달고 동그랗고
의식의 이면지에 부스러기가 쌓이고
실은 그 쌓인다는 고막 속으로
자꾸만 번식하는 개미들

오래오래 짧게 하고
욕실에는 눈 뜬 또 다른 거울들
광장 속에서, 그 물대포 속에서
우리의 고막은 안전합니까?

독백

시집이 왜 이렇게 푸른 거죠?
나는 살기를 소망합니다
시인의 말이 인상적인데요?
못 고치는 병이 있습니다
가장 좋아하는 시가 있나요?
차례입니다
시를 안 쓸 땐 무얼 하죠?
환절기를 앓습니다
방황이 길었나요?
사는 게 좀 시시했습니다
시집은 어떤 빛깔인가요?
농사를 지을 작정입니다
시집 키워드를 꼽자면요?
비바람이 머리카락을
빗겨 주던 시절이었습니다
이해가 잘 안 되는데요?
보리밭을 뒹굴었습니다
풀물이 들었겠군요
네 풀물입니다

대화행

가락시장역 전철 문이 열리고 핸드폰을 꺼냅니다 까치발 같은 검은 발들 곁에 나의 두 발을 놓아둡니다 일간지를 펼친 노인과 구겨진 무릎들과 구부러진 손잡이들 곁에 참기름 냄새가 진동하고 머리를 아무렇게 늘어뜨려 조는 청년은 인삼 축제엔 관심이 없어 보입니다 한 역 한 역 전철 문이 열릴 때마다 마트료시카 얼굴들이 깔깔깔 어디선가 웃음이 흘러가고 참기름 냄새는 가시질 않고 백석역이 열리고 막 누군가 앉았다 일어선 텅 빈 좌석이 보입니다 곁이 스치고 어어어어어 핸드폰이 달아나는 게 보이고 액정이 사라져 버린 나 누구였더라

바나나

첫째 낳고 둘째 낳고 셋째 낳았다던 그녀가 애 셋 시댁에 맡기고 연구소에 나가 생쥐 대용으로 바나나 껍질을 시침질했다는 그녀가 유일하게 기쁜 일이 태중에 쁘띠 젤리를 떠먹을 때였다는 그녀가 불명의 진단서를 받아 들고 부은 눈두덩이 닦아 내고 있습니다 손바닥이 다 젖어서 손등으로 울고 있습니다 나무고 연필이고 쓰는 사람이 되고 싶다던 그녀가 사소한 식물이 되고 싶다던 그녀가 바나나처럼 물컹물컹 물러 터져 갔다는 걸 아는지 한 땀 한 땀 터진 살갗을 바느질하면서 흔들림 없는 저 꼿꼿한 바늘의 신중함으로 실은 그녀가 자기 상처 꿰매고 있었음을 그저 지 상한 몸 하나 내어줄 뿐인 바나나로부터 그녀를 배웁니다

4부

미끄럼틀

아빠
참 이상해요
석유 냄새가 좋아요
바레인 바레인이 좋아요
초승달도 그믐달도 좋아요
갈매기도 좋아요
구부러진 건 다 좋아요
미끄럼틀이 좋아요
허름한 기름 냄새 나는
가슴팍 같은 거 말이에요
쪼그린 담벼락에 걸터앉아
아빠 눈썹을 그려요
참 이상해요
아빠

나비바늘꽃 1

천안로 사거리에 나비바늘꽃이 피어 있다
가우라 홍접초 백접초라 불리기도 하는 꽃
나비가 꼬리마다 바늘을 달고
허공을 바느질하고 있다

어딘가 찢긴 변두리가
보이기라도 하다는 듯
하얗고 붉은 꽃실을 피워 내고 있다
나비바늘꽃은 아는 것이다

코앞 보이지 않는 허공에 기대
한철 매미들이 울다 간다는 것을
이 허공마저 없었더라면
저들 목청을 누가 받아 줄까

천안로 사거리에서 좌회전 깜빡이를 켠다
가우라 홍접초 백접초라 불리기도 하는 꽃
찜통 속 땀 흘린 말매미들과

먹다 남긴 곤죽,
이 질퍽한 푸른 울음들

꿰맬수록 구체화되는
이 맨홀의 몸,
사거리 꽃밭 수선실에서
피어서 피어서
허공을 입은
가우라는 어디로 가는가

나비바늘꽃 2

당분간은 시를 접어야겠다
원고 청탁서를 죄악시하고
우선 사라질 궁리부터 해야겠다
단, 벽돌 같은 책 두어 권쯤은 챙겨도 되겠지
이 볼기짝 같은 시 뭉치를 버려둔 채
최소한 울분만 남겨 둔 채
조속히 사라져야겠다
무슨 소용으로 누추해질 것인가
어떤 용기로 써먹은 꽃을
재탕할 셈인가

나는 꽃을 증오한다

곤히

곰팡이가 끓는 밤이에요
ㅎ매- ㅎ매- 흑염소 울고
울 할미 다리에 깨꽃이 피었어요

방충망 파리들아
너네는 참말로 좋겠다

썪-뚝-썪-뚝-
꺾인 발목들이 밤새 돌아다니는데
ㄲ- ㄲ- ㄲ- ㄲ-
다음 정착지는 어디일까요

맨드라미야!
쉿…………

깨꽃이 주무세요

장날

발 없는 아저씨가 없는 발을 감추고 있어요

검정 튜브를 입고 오른손으로 리어카를 밀고 있어요

왼손으로 신발을 끌고 때수건과 파리채와 빨래집게를 팔고 있어요

시장 바닥을 쓸고 있어요

가고 있어요

양말

온 건물과 온 사람들 바깥에 눈이 내려요
도로에도 호수에도 아기 콧잔등에도 눈이 내려요
내리는 눈 위로 또 다른 눈이 내리고
내리는 눈 위에서
엄마 얼굴이 아기 얼굴을 비비고 있어요
맨발을 감싸는
저 하얀 눈발들, 저 거룩한
아무것도 부수려 애쓰지 않는

양말의 일생

태안

솔가지 긁어모아
모닥불 피워 놓고
취기가 오르도록
서해를 마셨다

해안가 너머 긴 바다로
텅텅 나갔다 되돌아오는
저 통통배마다
석양어가 만선이었다

유전

빛이 유리창을 긁을 때마다 선인장 잎사귀 한쪽 어깨가 빛살에 휘어졌다 이러한 식물의 무덤덤한 빛의 맹종을 자주 목격해야만 했다 한쪽 어깨가 이기적으로 기운 것은 기억을 의심하지 않은 나의 과오일까 유리창 바깥쪽으로 치켜드는 굴광성 때문일까 빛 속에서 주문을 읊는다 *태초에 나는 빛의 추종자이외다 뿌리가 잎인 채 잎이 뿌리인 채 쭉쭉 뻗칠 대로 뻗어 나는 빛의 자식이외다 주구장창 뿌린 대로 뿌려 두리 모래사막은 태양의 텃밭이거늘 나는 시들어 죽은 선인장을 본 적 없으매*

감기

딸의 코를 엄지와 검지로 풀어 주는데
두 손가락 사이가 진득거린다
나도 아빠에게 노란 콧물이었던 시절이 있었을까
기저귀도 못 떼고 걸음마도 못 떼었을 때
연탄을 사기 위해 보행기를 사기 위해
아빠는 날 놔두고 바레인으로 떠났다
엄마는 잔병치레처럼 떠돌았고
기름이 드나드는 송유관에서
아빠는 총 쏘는 법을 배웠다
빗금이 그어진 호적에 기대
나는 그 빗금에 살았다
감염은 막을 순 없었던 걸까
바이러스 같은 단어
아빠
딸의 코를 엄지와 검지로 풀어 주는데
내 코에서 콧물이 새어 나온다
딸의 코를 닦다 말고
아빠 아빠 딸의 말을 따라

옹알이처럼 아빠 아빠
나는 딸에게 아빠를 옮아 버렸다

블루빌

오정골 원룸촌 한복판에 뻐꾹새가 운다
뻐–꾹– 뻐–꾹–
툭 툭 끊어 2음절로 반복해 운다
NEWS 나이트 소형차 확성기가 운다
돌고 돌아 재생 버튼이 운다
허공의 혀가 운다
벽장에 귀를 댄다
시멘트 벽장 맞댄 옆집이 운다
502호가 운다
오늘은 프라이데이 나이트
뻐–꾹– 뻐–꾹–
뻐꾹새 없이 새가 운다
감쪽같은 새
당신 울음 진짜 맞아?

목포

나무야 신을 신거라
오래가도 떨어지지 않을 운동화를
언 발이 부러지지 않을 털신을
네가 바다를 건널 수 있도록
너의 묶인 생이 풀리도록
이미 먼 데로 떠나온
너의 항구를 등지며
싱싱한 노른자로 지는
저 석양 속으로
피가 넘실대도록
너의 뿌리마다
나무야 신을
신거라

미처 다 살지 못한 오늘을 펼치고

종일 고등어 가시를 발라내고
플라스틱 용기가 쌓여 간다 해도
오늘의 반복이 일생의 종합이라 해도
읽다 만 고전을 덮고 나서
신작 도서를 검색한다 해도
늙지도 죽지도 않는 영혼이라 해도
이번 생 안녕, 굿바이, 한다 해도
이만 년 후에 발굴될 오늘의 가시
우리가 훗날 화석이 된다 해도
고작 배운 짓이라는 게
마뜩잖게 끄적이는 거라 해도
삭제와 복사와 붙여넣기를 반복한다 해도
도무지 두통이 가시질 않는다 해도
오늘 마감은 못 하겠지 싶고
길어지는 밤과 대치 중이라 해도
아이가 색연필 꽁무니 돌리고 있다
돌리면서 하품하고 있다
색연필 심이 부러진다 해도

미처 다 살지 못한 오늘을 펼치고
오다가다 주운 낱말들을 발라내는 일
실은 이런 게 사는 일

오줌길

7번 완행버스는
해를 끊고 떠나고
나는 어둠에 하차한다
뜬 눈을 질끈 감고
시멘트 길에 쏴— 하고
오줌을 쏟아 내면
적막을 뚫고
빈 몸으로 흘러가는
또렷한 오줌길

고요한 밤 거룩한 밤

창이 떴다
2020년 10월 산재 사망자 71명
창을 눌렀다
http://www.ohmynews.com/NWS_Web/Series/series_premium_pg.aspx?CNTN_CD=A0002690209&CMPT_CD=P0010&utm_source=naver&utm_medium=newsearch&utm_campaign=naver_news

2020-10-11 물체에 맞음
충북 옥천군 옥천읍/오전 10시 35분경/한 야산 벌목 현장에서 이주노동자 A(47, 카자흐스탄)씨가 나무 위에서 벌목하던 중 떨어지는 나무에 맞아 사망

2020-10-11 깔림
서울 중구 수표동/오전 7시 30분경/한 상가 건물 인테리어 공사현장에서 건물 1층 경계벽을 철거하던 중 노동자 A(60)씨가 무너지는 벽체에 깔려 사망

2020-10-11 떨어짐

경기 부천시/오전 12시경/서해선 복선전철 공사장 현장에서 노동자 A(50대)씨가 20m 아래로 떨어져 사망

2020-10-12 깔림

강원 정선군 정선읍 용탄리/오전 8시 16분경/한 사과 농장에서 이주노동자 A(54, 카자흐스탄)씨가 고소 작업차에 깔려 사망

2020-10-12 기타(과로사 추정)

경북 칠곡군/오전 6시경/쿠팡물류센터(쿠팡 풀필먼트서비스 대구)에서 야간 분류작업을 하던 일용직 노동자 장덕준(27)씨가 대구 수성구 자택에서 숨진 채 발견. 현재 과로사 추정

창을 닫고 창을 열었다

도로변 담벼락 헌 옷 수거함에서
아날로그 알람이 울리고 있었다
흥겨워서 소리 높여
어느 노동자 쪽잠 깨웠을 캐럴송이
새벽 1시 20분 흰 눈 사이로
한 마리 자명종이 과로를 끌고
저 육체 없는 옷 무더기 속에서
불어 터지도록 울리고 있었다
종이 울려서 장단 맞추니
동네 시끄럽게 흥겨워서
소리 높여 울리고 있었다
우리 건전지 빨리 달려
징글쟁글 울리고 있었다

해가 바뀌었다, 같은 사고 터졌고
다른 사람이 죽었다
이명이 도졌다
도로변 담벼락 헌 옷 수거함에서

고요한 밤 거룩한 밤이 울리고 있었다
천군 천사가 있기는 한 걸까
저 육체 없는 옷 무더기를 입고
어둠에 묻힌 캐럴송이 울리고 있었다
아기 잘도 잔다
아기 잘도 잘까

가남 망월 구성 시흥 오륜 장평 장안 곤지암 성읍 효산 옥천 수표 정선 배방 동대문 네팔 소양 광양 부탄 달성 성북 귀곡 청산 화북 일동 양주 남외항 동삭 남양주 용인 진월 결성 의창 진해 성남 진주 상평 카자흐스탄 흥덕 의창 베트남 팽성 삼선 아프가니스탄 적중 내남 우성 경주 합천 유성 군산 군위 충주 인천 익산 달성 산청 시흥 초월 단양 파주 부천 서천 가남 율현 춘천 소룡 칠곡 구로……

분명, 이 세계는 재부팅되고 있는 먹통이었다

중보기도

차령산맥 국도에서
고라니를 위해
손을 모으면
저 순한 털마다
목숨의 시동이 새로 켜질까

아직 남은 새끼들에게만큼은
주유소 한비짝을 내어주고 싶다

생무나 고구마를 포대로 쌓아 놓고
저 먹일 식량처가 되어 준다면
국도의 주유비 얼마쯤이 아까우랴

부록

공치는 날

비 오면 우린 만나요
눈발이 천둥 치는 날에는
창문마저 날뛰는 날엔
가게 문을 닫아요
떨어지는 우박을 맞으면서
빈 길을 걸어요
손님도 주인도 없는 날에는
가로수의 옷깃을 여미고
우리는 설거지 같은
얼굴로 바깥에 쌓여
비의 우리에
우리를 담가 놔요
비 오는 날이면
우리는 만나요
투명 우산 속 하늘을
나란히 쓰고서
길을 걸어요
안국역이 빈 호주머니처럼

받아 줘요
공치는 날이 오면

다슬기

나는 기억해
너의 아빠 그 무덤 곁 묻은
우리의 타임캡슐을
아직 그 자리에 접혀 있을까
너의 손을 잡고 별 몰려가던
유등 강변에서 다슬기 잡던 날
들춰 보면 다닥다닥 붙은 채
유랑한 우리였지
어딨니
우린 똑같은 운동화
닳도록 꽂힌 책갈피에
단풍잎이 낡아 가고
버스는 각자로 흩어져 가고
백열등 속엔 별이 멀고
빈 유등이 끔뻑
아빠 잃은
눈먼 다슬기들

바다낚시꾼

물고기를 건질 요량은 아니야
육지 저편에 낚싯대를 던져 놓고
파도와 마주 앉아 소주를 마실 때
목젖이 달근해
찌가 나를 흔들고
끌어올린 바다가 물고 가 버린 갯지렁이
봤니 수면 아래
반 토막 난 생을 건져 올릴 때도 있잖아
물린 기억이 있잖아
이 맛에 바다를 잊지 못하는 거라
소주잔을 털어 내
우린 애당초 알고 있어
저 찌가 흔들릴 때마다
우린 바닷속 이 생이 다치지 않기를
잠긴 채로 들키지 않기를
저 미끌거리는 수평선 너머를 이제는
빠져나왔어
물고기를 건질 요량은 아니야
나를 찌에 걸고 저 빈 바다 건져야지

보풀

구월 달력을 넘기다가
하 엄마의 장롱을 연다
들녘에 나 풀벌레 귀를 연다
문밖에선 전생이 이미 소란한
이 가을밤 밀린 빨래를
출렁출렁 넌다
큐빅 빠진 목걸이
온기 잃은 스웨터 보풀을
차곡히 꺼내
이제는 묻어야 할 것만 같다
이제는 묻어야지
까치발 같은
발자국들
나 언젠가 먼 길 떠나면
엄마가 안아 주겠지
보풀보풀
입고서

도토리

고만고만한 잎사귀 같은
깔창으로도 깔 수 없고
쿠폰으로도 뿌릴 수 없는
보슬보슬한 밥을 지을 수 없고
시큰둥한 연애조차 할 수 없는
떡갈나무 아래 누워 본다

징글쟁글

암컷 뱀과 수컷 뱀을 한 통 속에 부글부글 끓였다
끓는 솥단지에서 내장과 뼈가 고아지고 있었다
사발 가득 내온 뱀국을 홉홉 들이켜는 새끼들
이담에 커서 너희는 무엇이 될래……

시창작교실

하루 속에 내가 있나
만약 손가락이 나 없다면 어떨까
손이 있다는 게
손의 감각이 있다는 게
정서 단어 상상이 있다는 게
마음 열고서야
손가락만으로
나눠 가질 이야기
씀으로 복 있는 나인가

쓴다는 건 엉킨 나를 푸는 일
엉킴을 확인하는 일
놔둔 채로 며칠을
묵혀 두는 일 이 또한
손들의 일이다
때론 실눈을 뜨고 백지를
노려보는 일
변기를 내리고

사랑의 기술자처럼
와장창 꽂히는
번개에 감전이 되다가도
벌떡 뒤 닦는 일

오동도

숲, 대숲을 따라
이렇게 쓴 적 있다
살고만 싶다 맨발은 따갑고 천국은 멀다
숲, 대숲을 따라
발자국 덮은 흙길
겁 없이 야생을 살아 본 듯한
울울창창한 표정들
숲
그거였다
오동도 대숲길
동백열차는 하차한다
따져 볼까 대숲 터널 속에서
묵음으로
대숲에 누워서
별 없는 하늘을 보고
암막의 댓잎을 덮고 나는
숲, 운다
나, 대숲을 따라

나 가진 거 꺼낸다
살고만 싶은 따가운 맨발과 먼 천국을

부르고스

젖은 비 맞는 저 저녁 종소리
부르고스 성당 잠이 깨고
나무 창 열린 저 꼬마 집에선
해바라기 액자가 피고 있다

오래 서성였다 손바닥 같은 창
막 잠이 깬 수천 송이 이름
피어나는 빗물 저 묽은 종소리

우린 정답게 호두 깨물고
호두나무 아래 이름을 지웠다
그게 다였다 그저 너뿐이라
우린 웃었다 호두를 깨물고

다시 태어나면 너와 걷던 그 길
걷지 않겠다 조개껍데기
배낭 매달고 순례자 행세는
더는 못 해 이 잠이 깨면

축구

우리는 모두 개인플레이
뛰어가 맨땅 축구공 놀이
발명해 뛸 뿐이야 사람만으로도

우리는 까인 무릎을 꿇고
모여서 하나의 공 달려가
운동장 그 속 직사각형만으로도

풀이 자라고 이리저리 공을 슛슛 하면서
초록을 믿고 연고를 바르는 이 공의 위로를

우린 태어난 이후 우리는 저 실패 시간을
주고받고 있다 이것이 정작 실패하지 않는 방법

뛸 뿐이야 우린 뛰었으면 됐어
땀이나 닦자 풀물이 든 무릎 곁에서

해설

불행 너머의 시

김주원(문학평론가)

불행 너머의 시

1

시는 언어의 예술인 동시에 삶의 예술이다. 시는 언어의 특별한 용법을 중시하는 장르이긴 하지만 시의 언어는 의식의 표현이라서 삶의 경험과 감정을 오롯이 드러내기 마련이다. 그 경험이 상처와 아픔으로 이뤄져 있다고 해도 그것은 고유한 개별성과 진실성으로 여겨져 왔다. 박송이의 첫 번째 시집 『조용한 심장』이 그런 경우이다. 그의 시는 성장의 아픔과 상실의 고통을 표현하는 데 기민했고 삶의 밑바탕은 슬픔이라고 말하는 것 같았다. 그러면서도 그의 시적 인식은 삶이 슬픔과 희망이라는 두 차원을 오가는 일이라는 걸 깊이 이해하고 있었다. 아픔과 슬픔의 편에 섰던 그의 시에서 슬픔은 종종 아름다운 순간으로 변주되고는 했다.

첫 시집으로 자신만의 세계를 갖게 된 시인들에게 두 번째 시집은 어떤 의미가 있을까. 박송이 시인의 이번 시집이 자기 세계의 확장이라면 슬픔이 다 지나가 버렸다고 말하기는 어렵다. 시인은 새로움을 원한다. "무슨 소용으로 누추해질 것인가/ 어떤 용기로 써먹은 꽃을/ 재탕할 셈인가"에는 관심이 없으므로 "꽃을 증오"(「나비바늘꽃 2」)한다. 써먹은 꽃을 또 피우게 할 수는 없는 일이다. "해독할 수 없는 시처럼/ 폼 나게 떠들어 대"는 것도 할 수 없고 "폭죽이 터지는 시/ 그런 건 없"(「육아살이」)다는 것도 안다. 하지만 그의 시는 슬픔에 침잠하지 않으면서 그것을 품고 가는 더 넓은 삶을 갖게 되었다. "첫 시집을 내고 예술가라기보다는/ 생활인에 가까워졌다는 생각"(「소심한 책방」) 때문일까. 시쓰기에 관한 시들이 눈에 띄는 것은 시가 결국 삶을 쓰는 일과 다르지 않다는 것을 체득한 시인이 있어서이다. 시인에게 시쓰기는 일상의 시간이고 자신을 들여다보는 거울이다.

나의 시는 나의 육체를 지배하지 못하고
나의 시는 나의 영혼을 가지어 본 적이 없고
나는 멀리 떠나는 자의 딱딱한 신발을 닮았고
나는 어깨를 위해 울어 본 적이 없음을 후회하고
나의 식사는 언제나 불평과 망각 사이에서 허술했고
그 빈약함으로 나의 늙은 시는 나를 쉽게 잊어버렸고

낮과 밤이 둥글어 가는 톱날 바퀴의 시작점은 얼마나 무의미
한지

혀 말고 다른 언어가 있나
혓바닥 말고 다른 고집이 있나

종다리야 종아리야
나는 너의 지탱을 배우고 있나

—「나의 시는 나의 육체를 지배하지 못하고」 전문

자신의 시가 육체와 영혼과 괴리되어 있다는 문장은 시의 본질을 고민해 본 시인만이 쓸 수 있다. 시가 '나'에게 무엇인지를 고민하는 시인-화자는 자신과 시의 관계를 여러 측면에서 살핀다. '나의 시'라고는 하지만 온전히 내 것이었다고 말할 수 없다. "불평과 망각" 사이에서 시는 "나를 쉽게 잊어버렸고" 반성조차 "톱날 바퀴의 시작점"처럼 무디어져 갔을 것이다. 하지만 말이 혀를 떠나지 않는 것처럼, 시는 '나'라는 존재의 삶 그 자체이다. 종다리든 종아리든 그 대상에게 "나는 너의 지탱을 배우고 있나"라고 묻는 것은 시적 대상에 관한 중요한 통찰을 보여 주고 있다. 시는 대상을 규명하는 질문이 아니라 결국 삶으로 돌아오는 언어라는 사실 말이다. 시인은 자기의 인식으로 대상을 포섭하려는 자가 아니라 그 대상 속

으로 들어가 자기 인식을 바꾸는 존재이기 때문이다.

2

박송이의 시는 슬픔의 기억을 갖고 있다. 삶은 여전히 불가해하고 설명하기 어려운 것이어서 그의 화자들은 사라지지 않는 풍경과 기억을 만난다. 어린 시절과 가족에 관한 이야기는 인간은 자신이 선택한 적 없는 세계에 내던져진 존재라는 하이데거의 말을 떠올리게 한다. 특히 양계장의 풍경들은 어린 화자에게 비춰진 누추하고 비루한 세계의 모습이다. 양계장을 더러운 곳이라고 할 이유는 없지만 무참히 떨어지는 닭똥에 눈길을 주는 화자의 시선은 다른 것을 보게 한다. 얼핏 드러나는 아픈 가족사와 마음 붙일 곳 없는 어린 화자(「쯧쯧의 기원」, 「가족사진」)는 개인의 불행만을 의미하지 않는다. 누군가를 온전히 품어 주는 세계가 부재한다는 사실이 더 크게 다가오기 때문이다. '까시'와 '텃검불' 같았던 아버지는 '나'가 "아직 때가 안 됐다고" 다그치며 "오종종 까시들이 박힌 채로 따가웠"(「밤까시」)던 기억으로 남아 있다.

무엇이 시를 쓰게 하는가를 질문한다면 박송이 시의 화자들은 불행과 슬픔이 그렇게 한다고 답할 것이다. 시는 어디에서 오는가. 번뜩이는 영감이나 상상력이 필요할 때마다 찾아오는 것도 아니고 창조의 샘이 늘 흘러넘치는 건 아닐 것이다. 박송이 시의 불행한 의식은 모든 좋은 시인들이 갖추고 있는 시적 재능이라고 해도 틀리지 않다. 생을 지배하는 불행한 의식으로 그들은 절실해지는 것이다. "쓴다는 건 엉킨 나를 푸는 일/ 엉킴을 확인하는 일/ 놔둔 채로 며칠을/ 묵혀 두는 일"(「시창작교실」)이고 보면 시는 삶의 밑바닥에 묵직하게 자리잡은 과거의 슬픔과 대면해 그 엉킴을 푸는 일이다. 박송이의 시에서 눈여겨볼 점은 불행한 의식을 놓지 않되 그 불행에 고착되지 않는다는 점이다. '엉킨 나를 푸는 일'이 절실해서 그의 시는 유년 시절과 양계장과 아버지에 관한 기억을 들춘다. 하지만 불행한 의식으로 그의 화자는 다른 이의 슬픔을 바라볼 수 있다.

간혹 낙엽 한 장이 끼어 있는 페이지를 만날 때가 있습니다 그러니까 나뭇잎을 꽂아 넣었던 기억도 안 나는 그날의 심정과 잎사귀를 매만지는 지금의 심정이 약속도 안 하고 만나는 날이 있습니다 어느 구절에는 밑줄이 그어져 있고 또 어느 구절에는 별 표시가 그려져 있습니다 우리는 다만 한 자루 연필을 쥔 채 살아가는 필생일까 그저 맨발이 되어 무거운 배낭을 꾸리지 않고도 떠나가는 사람들이 있습니다 지금이 아니라면 두 번 다시는 못 볼 것만 같은 사람들이 있습니다 허수경의 시집을 꺼내 혼자 가는 먼 집을 서걱서걱 씁니다 우리는 우연한 날 약속도 안 하고 만날 테지만 하얀 새, 도저히 베낄 수 없는 슬픔이 있습니다

—「필사」 전문

책은 직접적인 의사소통이 불가능하지만 미지의 만남이 있다. 책 속에서 발견한 낙엽 한 장이 "그날의 심정"과 "지금의 심정"을 만나게 한다면 책은 "두 번 다시는 못 볼 것만 같은 사람들"을 만나게 한다. 한때 열심히 밑줄과 별표를 그리며 "한 자루 연필을 쥔 채 살아가는 필생"의 운명을 그들과 '나'는 나누어 갖는다. 맨발로 배낭 없이도 떠나는 사람들의 인생이 거기에 있다. 필사는 손으로 직접 베껴 쓰면서 누군가의 삶을 만나는 일이다. 이 시의 화자는 "허수경의 시집을 꺼내 혼자 가는 먼 집을 서걱서걱" 쓰고 있다. "도저히 베낄 수 없는 슬픔이 있"다고 느끼면서. 필사할 수 없는 슬픔은 타국에서 생을 마감한 허수경 시인 때문이기도 하지만 그녀의 시집에 '나'가 슬픔으로 공명하고 있어 가능한 감정이다. '필생'의 만남은 그렇게 이뤄진다. 한때 허수경 시인을 필사하는 독자였으나 이제 그는 세상의 슬픔을 필사하게 된다.

3

박송이 시의 화자는 다른 사람의 아픔과 슬픔에 민감하다. 옆집 옥상에 사는 점박이가 집주인에게 학대당하는 것을 보자 그는 "이문재 식으로 말하자면 *그럴 때는 살아 있다는 게 그저 미안할 따름*이었습니다"(「점박이 느와르」)라고 말한다.

이때 그는 세상의 슬픔을 필사하는 시인의 모습을 하고 있다. 허수경 시인에게 혼자 감당할 수밖에 없는 슬픔의 무게가 있었다면 이문재 시인은 다른 이들의 슬픔으로 이뤄진 삶을 볼 수 있게 해 주었을 것이다. 이 시인-화자에게 슬픔은 이토록 크고 넓게 드리워져 있다. 그가 슬픔의 굴레에서 벗어나지 못했다는 뜻은 아니다. 이 슬픔은 시쓰기가 본래 타자를 향한 작업이라는 사실을 떠올리게 한다.

그때는 일몰 중이었고 나는 중학생이었다 그날 새끼고양이는 엄마 발에 목을 밟혔다 발이었다 누군가의 목을 밟는, 누구나 그런 실수를 저지른다 실수라는 단어가 주는 너그러움 새끼고양이는 저녁상을 준비하는 엄마 곁을 기웃대다 변을 당했다 투게더 아이스크림을 삼킨 혓바닥을 방바닥에 게워 내고 있었다 미역줄기도 어묵도 동공도 모다 흐물거리는 저녁, 새끼고양이는 죽었다 나는 새끼고양이를 물방울 원피스로 돌돌 감아 뒷마당에 묻어 두었다 누군가의 죽음을 받아 내, 묻어 두어야 할 그런 날이 온다 엄마가 죽고 한참이 지난 후였다 고향집 뒷마당에 엄마 원피스를 차려입은 새끼고양이가 메롱메롱 피어 있었다

— 「메롱나무」 전문

이 시에서 '나'는 엄마의 실수로 죽은 새끼고양이를 물방울 원피스에 감아 뒷마당에 묻었다. 그 '일몰'과 '흐물거리는

저녁'에 찾아온 죽음은 생생하다. 죽음은 의도하지 않은 실수처럼 그렇게 느닷없이 덮쳐 온다. 화자는 "누군가의 죽음을 받아 내, 묻어 두어야 할 그런 날이 온다"는 것을 직감한다. "엄마가 죽고 한참이 지난 후"에 "고향집 뒷마당에 엄마 원피스를 차려입은 새끼고양이가 메롱메롱 피어 있었다"라는 문장은 예사로운 것이 아니다. 메롱나무가 실재하는 것인지는 중요하지 않다. '나'는 지금 세상에 없는 것들을 보고 있다. 실재하지 않는 상상의 세계를 믿는 것은 낭만주의 시의 가장 큰 특징이다. 하지만 여기서 강조할 것은 나무에 피어난 것이 하나의 사건을 둘러싼 여러 인연의 고리들이라는 점이다. 그것이 기억의 잔상일지라도 엄마와 엄마의 원피스, 새끼고양이가 아무런 상관없이 모두 소멸되었다고 말하기는 어렵다.

「겨울 이사」를 보면 이러한 진술이 무엇을 의미하는지 좀 더 명확해진다. 죽은 송아지를 구덩이에 묻으며 화자는 "밤나무 감나무 쑥부쟁이 복숭아나무 미나리 씀바귀 들깨풀 냉이꽃 개미들 곁으로 송아지가 이사를 갔습니다"라고 말한다. 이 시의 핵심 문장이다. 송아지의 죽음을 이해하는 화자의 태도는 개체적 죽음을 넘어서 있다. 하나의 개체로 보면 송아지는 더 이상 살아 있지 않지만 그는 밤나무부터 개미들까지 그의 곁에 있는 여러 다른 생명들을 살릴 것이다. 살아 있었을 때도 그들과 함께했던 것처럼 말이다. 이것이 송아지의 죽음을 이사라고 부르는 이유이다. 개체의 수준을 벗어나면 모든 것들은 연결되어 있다. 엄마의 원피스를 입은 새끼고양이처럼 사람과 동물, 사물들까지 이 연결의 범위에 포함되어 있는 것이다. '곁에 있는' 것들을 보지 않고 타자를 이해할 수는 없다.

사실 「겨울 이사」 같은 발상은 도시적 삶에서 매우 어려운 것이 되었다. 현대시에서 아름다운 자연이나 생명은 피상적인 의미가 된 감이 없지 않기 때문이다. 아름다운 자연은 세계와의 불화와 단절을 경험하는 현재적 비전에서는 감상적 동일화의 혐의마저 있다. 정직한 시인이라면 그는 자연의 많은 부분이 훼손되고 파괴되었다는 것을 직시할 수밖에 없을 것이다. 그런 의미에서 이 시대의 시인은 자연과의 연결, 인간이 다른 존재들과 맺었던 생생한 관계들이 어떻게 끊어졌는가를 관찰하며 아파하는 자가 아닐까. 자연은 본연의 신비를 잃고 공리적 이익의 대상으로 추락했고 우리는 생명이라고 부르는 것들과 멀어졌다. 박송이 시의 불행한 의식은 바로 이러한 문제에 관여한다.

닭닭닭닭닭닭닭닭닭닭닭닭
닭닭닭닭닭닭닭닭닭닭닭닭
닭닭닭닭닭닭닭닭닭닭닭닭
닭닭닭닭닭닭닭닭닭닭닭닭

닭닭닭닭닭닭닭닭닭닭닭닭
닭닭닭닭닭닭닭닭닭닭닭닭
닭닭닭닭닭닭닭닭닭닭닭닭
닭닭닭닭닭닭닭닭닭닭닭닭

봄이 왔다 닭들이 감기에 걸렸다 아버지는 이만 오천 마리 닭들을 뒷산에 묻었다 양계장에 들어서면 왼쪽 1연 4행 오른쪽 1연 4행 총 2연 8행 텅 빈 닭장들이 폐허처럼 줄지어 섰다 우리은행 사원들과 고객들은 삼계탕데이를 실시했다 파산의 돌림병이 돌았고 아버지의 대출금은 만기로 연장됐다 전날 땅을 팠던 국군 장병 하나가 폐결핵을 앓았다 닭장마다 매달린 수도꼭지에선 아직 지하수가 닭닭닭 새어 나왔다

— 「닭닭닭」 전문

양계장은 이제 사회적 불행의 장소이다. 닭들이 감기에 걸리자 그곳은 폐허가 되어 버린다. 조류독감 파동을 연상케 하는 이 시편에서 이만 오천 마리 닭들은 뒷산에 묻히고 고객들은 삼계탕데이를 만들며 땅을 팠던 국군 장병은 폐결핵을 앓는다. "닭장마다 매달린 수도꼭지에선 아직 지하수가 닭닭닭 새어 나"온다. 그것은 "파산의 돌림병"이었고 생명을 업신여기며 살아온 인간에게 되돌아온 자연의 저주였다. "닭

세 마리가 한 조로 갇힌 신식 철창 사육장"에서 닭들을 "죄다 걷지 못하는 나무들"로 표현한 「닭숲」에서 "소독약 냄새가 진동"하는 양계장은 인위적으로 생명을 통제하는 공간이었다. 이 시는 건조하고 사실적인 문장으로 전염병과 파산, 폐결핵, 지하수를 통해 전염과 감염의 상상력을 증폭시킨다. 전염병이 위협적이라서가 아니다. 전염이나 감염은 눈에 보이지 않지만 우리가 다른 존재들과 연결되어 있다는 명확한 예시이다. 닭을 철창 사육장에 가두고 살처분하는 사회에서 인간이 무사할 수는 없기 때문이다. 이 커다란 생명의 고리 안에서 누군가 고통을 겪는다면 그것은 전체의 고통으로 전염된다.

이 시집에서 눈에 띄게 다른 형식을 취하고 있는 「고요한 밤 거룩한 밤」도 같은 맥락에서 이해할 수 있다. 이 시는 2020년 10월 산재 사망자 71명이 있다는 구체적인 뉴스 내용을 전달한다. 도로변 헌옷 수거함에서 어느 노동자의 쪽잠을 깨웠을 자명종이 울리는 장면은 그것이 캐럴송이라서 더 처연하고 아이러니하다. "저 육체 없는 옷 무더기를 입고/ 어둠에 묻힌 캐럴송" 〈고요한 밤 거룩한 밤〉은 누구도 보려 하지 않는 어둠이다. 세상은 그 노래를 들을 수 있는 삶과 그럴 수 없는 삶으로 나눠진다. 산재 사망이 일어난 지역들 중에는 카자흐스탄, 베트남, 아프가니스탄이 들어 있다. 노동 현실에서 우리의 안과 바깥을 나누는 것은 무의미한 일이 되었다. 뉴스는

매일 갱신되고 어떤 죽음들은 금세 잊힐 것이다. 어디선가 끌 수 없는 자명종이 울리고 있지만 “분명, 이 세계는 재부팅되고 있는 먹통이었다”(「고요한 밤 거룩한 밤」). 이 시는 박송이의 이번 시편들 중에서는 강한 사회적 메시지를 담고 있다. 하지만 이 시가 이질적으로 느껴지지 않는 이유는 그의 다른 좋은 시들처럼 이 시도 어떤 불행의 표현이기 때문일 것이다. 꽉 막힌 이 어둠은 우리 시대의 큰 불행이라는 점에서 다를 뿐이다.

4

박송이의 시는 사회의 불행이 자신과 연루되어 있다고 느낀다. 불행한 의식은 개인의 차원을 넘어선다. 그의 시가 남달리 생명 의식이나 생태주의를 표현해서 그런 것은 아니다. 박송이의 시가 생명 의식을 보여 주고 있다면 그것은 어떤 개념을 알고 있어서가 아니라 불행한 의식이 다른 불행을 민감하게 포착한 것으로 보는 편이 타당할 것이다. 슬픔은 그의 세계를 넓힌다. “손이 있다는 게/ 손의 감각이 있다는 게/ 정서 단어 상상이 있다는 게”(「시창작교실」) 연결되는 이유는 시가 다른 세계를 감지하는 능력을 뜻하기 때문이다. ‘정서’, ‘단어’, ‘상상’은 시에서 중요하다. 하지만 더 중요한 것은 “마음 열고서야/ 손가락만으로/ 나눠 가질 이야기/ 씀으로 복 있는 나”(「시창작교실」)가 가능하다는 점이다. 슬픔을 겪은 사람이 다른 슬픔을 이해할 수 있고, 아픈 사람이 다른 이의 아픔을 잘 보는 것처럼.

이를 테면 갑작스럽게 자신의 몸을 떠난 생명이 안타까운 것처럼(「수리남 두꺼비」) 국도에서 죽은 고라니가 남긴 새끼도 상상할 수 있는 것이다. 그래서 "아직 남은 새끼들에게만큼은/ 주유소 한비짝을 내어주고 싶"고 그곳이 그들의 식량처가 된다면 "국도의 주유비 얼마쯤"(「중보기도」) 아깝지 않을 것이라 생각한다. '중보기도'는 자기 자신을 위한 기도가 아니라 다른 이들을 위한 기도라고 한다. 타자의 아픔을 상상할 수 없다면, 모든 존재가 소중하다는 인식이 없다면 가능하지 않은 일이다. 시를 쓰는 것처럼 기도도 절실한 자의 몫이다. "우리가 시 한 편씩 읊는 날이 오면/ 평화가 찾아올"(「생각하는 모자」)지는 알 수 없다. 하지만 이 세계의 어떤 부분도 훼손되거나 누구도 다치지 않기를 바라는 마음이 있는 한 다른 생명을 위한 기도를 계속될 수밖에 없을 것이다.

5

우리는 모두 개인플레이
뛰어가 맨땅 축구공 놀이
발명해 뭘 뿐이야 사람만으로도

우리는 까인 무릎을 꿇고

모여서 하나의 공 달려가

운동장 그 속 직사각형만으로도

풀이 자라고 이리저리 공을 슛슛 하면서

초록을 믿고 연고를 바르는 이 공의 위로를

우린 태어난 이후 우리는 저 실패 시간을

주고받고 있다 이것이 정작 실패하지 않는 방법

뛸 뿐이야 우린 뛰었으면 됐어

땀이나 닦자 풀물이 든 무릎 곁에서

—「축구」 전문

축구는 삶의 태도에 관한 은유이다. 이 시에서 우리는 개인 플레이어다. 우리는 '실패의 시간을 주고받고' 있지만 "이것이 정작 실패하지 않는 방법"이다. "우린 뛰었으면 됐어" 하는 마음으로 뛸 뿐이다. 그걸로 충분하다. 삶의 목적은 승부에 있지 않기 때문이다. 축구는 경쟁이 아니라 놀이이다. 실패의 시간을 주고받는 것이 아니라 사실은 "초록을 믿고 연고를 바르는 이 공의 위로를" 받는 것이다. 풀이 자라고 여기저기 날아다니는 공을 떠받치는 더 큰 세상이 있다. 자신의 플레이에 충실하다는 것은 삶이라는 놀이에 참여한다는 것을 안다는 뜻이다. 무릎이 까이더라도 초록을 믿고 뛰는 것. 그것이 전부이다. "풀물이 든 무릎"은 더 이상 상처가 아니라 충실한 삶의 증거일 것이다. 박송이의 시가 슬픔으로 침잠하지 않고 더 넓은 삶을 긍정한다는 것은 이 시에서도 드러난다.

구월 달력을 넘기다가
하 엄마의 장롱을 연다
들녘에 나 풀벌레 귀를 연다
문밖에선 전생이 이미 소란한
이 가을밤 밀린 빨래를
출렁출렁 넌다
큐빅 빠진 목걸이
온기 잃은 스웨터 보풀을
차곡히 꺼내
이제는 묻어야 할 것만 같다
이제는 묻어야지
까치발 같은 발자국들
나 언젠가 먼 길 떠나면
엄마가 안아 주겠지

보풀보풀

입고서

— 「보풀」 전문

「보풀」은 이 시집에서 아프게 읽히는 시들 중 하나이지만 따뜻하다. 큐빅 빠진 목걸이와 온기를 잃은 스웨터 보풀처럼 소용이 다한 물건들을 이제는 묻어야 한다. 하지만 엄마의 장롱을 정리하는 일은 엄마를 다 잊지 못한다는 것을 확인시킨다. 그걸로 끝일까. 추억들을 모두 묻고 나서도 "나 언젠가 먼 길 떠나면/ 엄마가 안아 주겠지"라는 바람이 남는다. 「메롱나무」와 「필사」에서처럼 영원한 죽음 같은 건 없다는 믿음이 있으므로 이 진술은 낯설지 않다. 그리고 언젠가 그 먼 길에서 엄마를 만난다면 엄마는 "보풀보풀"을 입고 있을 것이다. 알베르 베갱의 설명대로라면 상상적인 세계의 실재를 믿는 낭만주의적 시인은 그의 내부에 계시적인 감동의 물결을 끝없이 불러일으키는, 그 자신도 그 뜻을 분명히 헤아릴 수 없는 울림과 암시들을 선택하는데, 그것들은 특별한 순간에도 개인적인 추억과 결합하여 심적인 가치를 지닌다고 한다. 이 시에서 보풀은 그런 단어일 것이다. 스웨터도 아닌 보풀은 지상의 추억이 뭉쳐져 있는 것, 쉽게 떨어지지 않는 슬픔과 온기로 엉켜 있는 것이다. 그 오래된 온기 없이 어떻게 엄마를 기억할 수 있을 것인가. 박송이의 시에서 엄마는 생의 근원적인 풍요와 관련된 이름이다. 엄마가 된 화자가 개인적 불행에 연연하지 않아도 되는 이유도 이와 관련되어 있을 것이다.

좋은 문학은 우리에게 삶에 대한 근본적인 긍정을 느끼게 한다. 같은 의미에서 좋은 시는 외부의 상황과 조건이 아무리 힘들고 비참해도 한 인간에게 잃어버릴 수 없는 가치를 선사한다. 소멸되지 않는 삶의 힘이 있다는 것을 믿게 한다. 박송이 시의 불행한 의식은 시에 관한 의미를 되살려 놓는다. 세상 만물이 서로 연결되어 있고 삶은 그것과 교감하는 일이라는 것 말이다. 잘 익은 밥알들처럼 내리는 눈을 '시밥'이라고 부르는 시인에게 시는 세상을 눈부시고 따뜻하게 만드는 것이다. 박송이의 시는 불행을 넘어 삶의 예술로 가는 중이다.

환한 저녁때였다
눈 속에서 눈을 맞고 있었다
펑펑 내리는 눈은 아니었고
사그락사그락 내리는 눈이었다
눈이 쌀밥 같다는 생각을 떨칠 수 없었다
시밥 시밥 시밥
혼잣말로 시밥이란 단어를 되뇌고 있었다
한 끼니가 눈이 부시게
거리를 데워 주고 있었다

이게 다 밥이야 시야
한 알 한 알 잘 익은 밥알들이
모락모락 거리의 사람들이
눈발을 쐬고 있었다
배가 고파 왔고
시가 고파 왔으므로
이마저 한 끼니의 꿈이었다

—「끼니」 전문